Gwyliau Gwych

a storïau eraill

Cardiff Libraries
www.cardiff.gov.uk/libraries

Llyfrgelloedd Caerdydd
www.caerdydd.gov.uk/llyfrgelloedd

CARDIFF
CAERDYDD

Emma Thomson

Addasiad Eiry Miles

D0316641

Sut i wneud dymuniad gyda Siriol

DYMUNIAD

Mae'r llyfr hwn yn cynnwys dymuniad arbennig iawn i ti
a dy ffrind gorau.

Gyda'ch gilydd, daliwch y llyfr bob pen,
a chau eich llygaid.

Crychwch eich trwynau a meddwl am rif
sy'n llai na deg.

Agorwch eich llygaid, a sibrwd eich rhifau
i glustiau'ch gilydd.

Adiwch y ddau rif gyda'i gilydd. Dyma'ch

Rhif Hud

ti

dy
ffrind
gorau

Rhowch eich bys bach ar y sêr,
a dweud eich rhif hud yn uchel,
gyda'ch gilydd. Nawr, gwnewch eich dymuniad
yn dawel i'ch hunan. Ac efallai, un diwrnod,
y daw eich dymuniad yn wir.

Cariad mawr

Siriol

x

I Millie Holt

E.V.T.

Felicity Wishes © 2000 Emma Thomson
Trwyddedwyd gan White Lion Publishing

Cyhoeddwyd gyntaf ym Mhrydain yn 2005
gan Hodder Children's Books

Cyhoeddwyd gyntaf yn Gymraeg yn 2010 gan
Wasg Gomer, Llandysul, Ceredigion, SA44 4JL.
www.gomer.co.uk

ⓗ testun a'r lluniau: Emma Thomson, 2005 ©
ⓗ testun Cymraeg: Eiry Miles, 2010 ©

Mae Emma Thomson wedi datgan ei hawl
dan Ddeddf Hawlfreintiau, Dyluniadau a Phatentau 1988
i gael ei chydnabod fel awdur ac arlunydd y llyfr hwn.

ISBN 978 1 84851 128 6

Cedwir pob hawl. Ni chaniateir atgynhyrchu unrhyw ran o'r
cyhoeddiad hwn, na'i gadw mewn cyfundrefn adferadwy, na'i
drosglwyddo mewn unrhyw ddull na thrwy unrhyw gyfrwng,
electronig, electrostatig, tâp magnetig, mecanyddol, ffotogopïo,
recordio, nac fel arall, heb ganiatâd ymlaen llaw gan y cyhoeddwyr.

Noddwyd gan Lywodraeth Cynulliad Cymru.

Argraffwyd a rhwymwyd yng Nghymru gan
Wasg Gomer, Llandysul, Ceredigion.

CYNNWYS

Ffrind drwy'r Post

Roedd Siriol Swyn wedi bod wrthi am oriau'n chwilio am ei hysgrifbin pinc arbennig, ond doedd dim golwg ohono'n unman.

'Fe gei di fenthyg f'un i,' meddai Poli, mewn llais tawel, gan eu bod nhw'n astudio yn y llyfrgell.

'Ond dyw'r inc ddim yn binc!' sibrydodd Siriol.

'Oes ots?' gofynnodd Poli, gan wgu.

Trodd Miss Llyfrbryf, oedd yn gofalu am y llyfrgell, gan edrych arnyn nhw'n grac a rhoi ei bys ar ei gwefusau. 'Shhhhhhhh!' meddai.

'Oes, mae ots,' ysgrifennodd Siriol ar ddarn o bapur, a'i roi'n ôl i'w ffrind.

'Pam?' ysgrifennodd Poli.

Ysgydwodd Siriol ddalen brydferth o bapur pinc disglair o dan drwyn ei ffrind.

'Mae'n rhaid i mi ysgrifennu llythyr arbennig iawn,' ysgrifennodd Siriol, gan edrych o'i chwmpas i wneud yn siŵr nad oedd Miss Llyfrbryf yn dal i'w gwylio.

Yn sydyn, bu bron i Poli wichian. Roedd hoff ysgrifbin Siriol yn eistedd yn dwt y tu ôl i'w chlust! Cydiodd Poli yn yr ysgrifbin a'i roi i'w ffrind, gan bwyso dros ei hysgwydd i weld at bwy roedd hi'n ysgrifennu.

Roedd Siriol yn ysgrifennu ateb i hysbyseb a welodd yng nghylchgrawn Y Dylwythen Fach, sef:

Yn Eisiau: Ffrind drwy'r Post
Hoffai tylwythen deg gyfeillgar gael ffrind
ffyddlon i rannu breuddwydion. Fy niddordebau
yw gwau, cerdded drwy'r cymylau a chanu
beth bynnag sy'n dod i'm meddwl.
Atebwch: Esyllt, Y Bwthyn,
Coedwig yr Enfys, MP 12

DILLAD ISAF

Clyweliadau

GWYLIAU AR GWCH

Gwasanaeth Glanhau

Oherwydd mai hi oedd y dylwythen fwyaf cyfeillgar yn Nhre'r Blodau, doedd Siriol ddim yn gallu anwybyddu cais Esyllt. Erbyn diwedd amser cinio, roedd hi wedi ysgrifennu ateb hir – pedair tudalen – i ddweud popeth wrth Esyllt amdani hi ei hun, ei ffrindiau gorau, Ysgol y Naw Dymuniad, a'i hoff flas hufen iâ.

'Mae'n wych!' meddai Poli, ar ôl i Siriol ddangos y llythyr i'w ffrindiau yn ystod amser chwarae.

'Wyt ti'n siŵr ei fod e'n iawn?' holodd Siriol. 'Dyw e ddim yn rhy hir, ydy e?'

'Na, wir i ti!' meddai Moli. 'Mae e'n wych!'

'Byddwn i'n dwlu cael llythyr gen ti,' meddai Mali. 'Mae dy lythyrau di'n llawn swyn.'

Sgipiodd Siriol yn hapus at y blwch post agosaf, gan wneud dymuniad arbennig iawn i Esyllt cyn postio'r llythyr.

* * *

Bu Siriol yn cadw golwg am Dylwythen y Post bob bore cyn mynd i Ysgol y Naw Dymuniad, a chyn hir glaniodd amlen fawr felen ar y mat, mewn cwmwl o lwch disglair.

'On'd yw hyn yn wych!' meddai Siriol yn gyffrous wrth ei ffrindiau, pan gyrhaeddodd yr ysgol o'r diwedd. 'Mae Esyllt wedi ysgrifennu pedair tudalen lawn, ar y ddwy ochr hefyd!'

Heidiodd ffrindiau Siriol o'i chwmpas, gan ysgwyd eu hadenydd yn llawn cynnwrf, i wrando ar Siriol yn darllen ei llythyr cyntaf un gan ei ffrind drwy'r post.

'Brensiach, mae e mor hyfryd a gwahanol!' meddai Moli, gan edmygu'r papur ysgrifennu hardd. 'Dydyn nhw ddim yn gwerthu papur ysgrifennu fel hwn yn Siop Bapur y Tylwyth Teg yn Nhre'r Blodau!'

'Ac mae ei llawysgrifen mor gywrain! Wyt ti'n credu ei bod hi'n ysgrifennu fel 'na yn naturiol, neu ydy pob tylwythen deg yn ysgrifennu fel 'na yn ei gwlad hi?' myfyriodd Poli.

'Ac edrychwch ar y blodyn prydferth mae hi wedi'i lynu ar y llythyr. Dydw i erioed wedi gweld un mor bert â hwn. Tybed beth yw e?' holodd Mali.

Cododd Siriol ei hysgrifbin pluog, pinc yn syth bìn. 'Fe wnaf i ysgrifennu 'nôl at Esyllt i gael atebion i'ch holl gwestiynau chi. Mae gen innau rai cwestiynau hefyd – hoffwn i wybod mwy am ei ffrindiau, maen nhw'n swnio'n hyfryd!'

Dros yr wythnosau nesaf, bu Siriol ac Esyllt yn cyfnewid llythyrau bron bob yn ail ddydd. Doedd Siriol ddim yn gallu credu cymaint roedd ganddyn nhw'n gyffredin!

Annwyl Esyllt,

Fy ffrind gorau yw Poli – mae hi'n gallu gwneud popeth yn dda, ac mae hi wastad â'i phen mewn llyfr, yn astudio i fod yn Dylwythen Deg y Dannedd. Hefyd, mae gen i ffrindiau eraill, sef Moli a Mali. Byddet ti'n dwlu arnyn nhw. Moli yw brenhines ffasiwn Tre'r Blodau, ac mae hi wastad yn edrych yn drawiadol iawn. Mae Mali'n freuddwydiol iawn ac yn mwynhau treulio amser yn ei gardd, yn siarad gyda'i blodau. Sut rai yw dy ffrindiau di?

Ysgrifenna ata i'n fuan.

Cofion Cynnes, Siriol x

Dyma fi!

Ychydig ddyddiau'n ddiweddarach, cyrhaeddodd ateb Esyllt drwy dwll llythyrau Siriol. Hedfanodd i lawr y grisiau nerth ei hadenydd, ac agor y llythyr yn syth.

Annwyl Siriol,

Brensiach! Mae dy ffrindiau di'n swnio'n wych, ac yn debyg iawn i'm ffrindiau i! Fy ffrind gorau yw Marged ac fe enillodd hi'r wobr gyntaf yng nghystadleuaeth y wên orau eleni. Mae fy ffrind arall, Heulwen, yn breuddwydio am gael ei chwmni ffasiwn ei hun ryw ddydd. Mae Jini wrth ei bodd yn garddio. Mae ganddi swydd ran amser yn y ganolfan arddio leol. Alla i ddim credu eu bod nhw mor debyg!

Ateba fi'n fuan.

Llawer o gariad

Es xxx

Fi

Ar ôl darllen llythyr Es, cafodd Siriol syniad yn sydyn! 'Byddai'n hyfryd petawn i'n cwrdd ag Es, a Poli'n cwrdd â Marged, Mali yn cwrdd â Jini a Moli'n cwrdd â Heulwen!' meddyliodd, gan wenu wrthi'i hun. 'Rwy'n siŵr y bydden ni i gyd yn cyd-dynnu'n dda iawn. Mae hi bron yn hanner tymor, felly gallen ni fynd i'w gweld nhw bryd hynny.'

Heb oedi, cydiodd Siriol yn ei hysgrifbin a dechrau ysgrifennu llythyr at Es, i rannu ei syniad mawr gyda hi . . .

✳   ✳   ✳

Daeth Moli, Poli a Mali i gwrdd â'i gilydd yn eu hoff gaffi, sef Caffi Seren, i gael ysgytlaeth. Roedd hi braidd yn rhy dawel yno heb Siriol, ond roedd hi'n rhy brysur yn ysgrifennu at Es i ddod gyda nhw. Doedd y tylwyth teg ddim wedi gweld llawer ar Siriol ers iddi ddechrau ysgrifennu at Es. Pryd bynnag y bydden nhw'n ei gweld hi, byddai hi naill ai'n darllen llythyr arall gan Es, neu wrthi'n brysur yn paratoi ei llythyr nesaf. Roedd Moli, Poli a Mali yn dechrau teimlo bod Siriol yn eu hanwybyddu nhw.

Ochneidiodd Moli, gan gydio mewn cylchgrawn ac edrych drwyddo'n freuddwydiol.

'Ie, dyna'r ateb!' meddai, gan droi ei chylchgrawn i'w ddangos i'w ffrindiau. 'Gwyliau! Beth am i ni i gyd fynd i ffwrdd gyda'n gilydd i rywle cyffrous, lle gallwn ni gael hwyl gyda'n gilydd fel roedden ni'n arfer ei wneud erstalwm?'

Roedd Mali a Poli wrth eu boddau. Am syniad ardderchog! Roedd hi bron yn hanner tymor, a doedd yr un o'r tylwyth teg wedi bod i ffwrdd ers oesoedd. Doedden nhw erioed wedi bod i ffwrdd gyda'i gilydd am wyliau o'r blaen.

'Beth am gadw hyn yn gyfrinach?

Mae Siriol wrth ei bodd yn cael syrpreis!' gwichiodd Poli'n gyffrous.

* * *

Hedfanodd y tylwyth teg gyn gynted ag y gallen nhw i lawr at yr asiant teithio yn Nhre'r Blodau.

'Mae cymaint o lefydd i ddewis ohonyn nhw,' meddai Poli, gan wasgu'i thrwyn yn erbyn ffenestr siop yr asiant teithio. 'Sut ar wyneb y ddaear y gallwn ni benderfynu ble i fynd?'

Roedd 'na wyliau antur, gwyliau i ymlacio, gwyliau yn yr haul, a gwyliau yn yr eira. Roedd y rhestr yn ddi-ben-draw.

'Waw!' ebychodd Mali. 'Gallen ni fynd ar wyliau cerdded i weld pob math o flodau yn eu hamgylchfyd naturiol.'

'Neu, gallen ni fynd i Fyd y Dylwythen Fach i weld yr holl siopau dillad ac i eistedd yn y caffis i wylio sêr ffilmiau'r tylwyth teg,' awgrymodd Moli, gan edrych ar daflen oedd yn disgrifio gwyliau yn y ddinas.

'Beth am geisio dod o hyd i rywbeth y bydd pawb yn ei fwynhau? Rhywbeth sy'n cynnig tipyn o bopeth,' meddai Poli'n synhwyrol, rhag i'w ffrindiau ganolbwyntio ar eu diddordebau personol yn unig.

Ar ôl casglu pentyrrau o gatalogau, aeth y tair tylwythen tuag adref, i baratoi rhestr fer o lefydd i fynd. Roedd yn rhyfedd trefnu rhywbeth mor gyffrous heb Siriol, ond byddai dweud wrthi ar ôl i bopeth gael ei drefnu hyd yn oed yn fwy cyffrous!

Y bore wedyn, yn ystod amser chwarae yn yr ysgol, roedd Siriol yn eistedd yn y llyfrgell yn agor amlen felen ddisglair arall. Roedd Es yn meddwl bod syniad Siriol yn wych, felly roedden nhw wrthi'n gwneud y trefniadau munud olaf ar gyfer eu hymweliad arbennig, i wneud yn siŵr y byddai popeth yn mynd yn iawn.

Yn sydyn, cafodd Siriol gip ar Moli, Poli a Mali yn chwerthin ym mhen arall yr ystafell. Chwifiodd Siriol gan ddweud 'Helô' yn dawel fach. Ond welodd Moli, Poli a Mali mohoni.

'Maen nhw'n edrych fel tasen nhw'n cael cymaint o hwyl!' meddyliodd Siriol wrthi'i hun. 'Bydd yn rhaid i mi gwrdd â nhw amser cinio i holi beth maen nhw wedi bod yn ei wneud. A galla i ddweud wrthyn nhw am fy nghynlluniau gwych i gydag Es, hefyd!'

* * *

Ond doedd dim cyfle dros amser cinio, ac erbyn i Siriol hedfan i Swyddfa'r

Post ar Stryd Seren, ac yn ôl at
y Dderwen Fawr yng nghanol y cae
chwarae, roedd ei ffrindiau i gyd wedi
mynd. Yn y diwedd, llwyddodd i gael
sgwrs gyda nhw
ar ddiwedd
y wers
fathemateg
ddwbl.

   'Hoffwn
eich gwahodd
chi i gyd i
'nhŷ i ddydd
Sadwrn i gael te,'
meddai Siriol, yn llawn cyffro. 'Dydw
i ddim wedi'ch gweld chi ers oesoedd,
ac mae cymaint i'w ddweud wrth ein
gilydd!' meddai, gyda gwên fach
gyfrinachol.

   'Mae hynny'n swnio'n wych!'
meddai Mali, gan guro'i dwylo a
wincio ar y tylwyth teg eraill. Byddai'n
gyfle perffaith i roi syrpreis Siriol
iddi hi!

'Fe wna i hyd yn oed baratoi teisen fach siocled i bob un ohonoch chi!' meddai Siriol yn gyffrous.

'O,' meddai Moli, Poli a Mali, gan wybod bod y bwyd roedd Siriol yn ei goginio'n blasu'n ofnadwy!

'Oes ots gen ti petaen ni'n dod â'n teisen ein hunain?!' meddai Mali, gan geisio peidio â brifo teimladau Siriol.

Edrychodd Siriol ar Moli, edrychodd Moli ar Poli ac edrychodd Poli ar Mali, ac yna – heb fedru dal yn ôl am eiliad arall – dechreuodd pawb chwerthin yn uchel dros bob man.

* * *

Roedd yn brynhawn dydd Sadwrn o'r diwedd, a Siriol wedi bod wrthi'n brysur drwy'r bore yn paratoi ar gyfer ymweliad ei ffrindiau. Bob hyn a hyn, edrychai ar lythyr diweddaraf Es ar y bwrdd, gan roi gwên fach gyfrinachol.

Ar ôl trefnu'r blodau ac arllwys ysgytlaeth mefus pinc i wydrau tal, hardd, a gwneud yn siŵr bod ei thŷ bach twt fel pìn mewn papur, eisteddodd Siriol ar ei soffa o'r diwedd.

Agorodd y llythyr, gan wenu o glust i glust, a'i ddarllen unwaith eto.
Yn sydyn, canodd cloch y drws, a gwthiodd Siriol y llythyr yn frysiog i mewn i ddrôr.

* * *

'Helô!' meddai Siriol wrth ei ffrindiau, gan lamu'n fywiog wrth agor y drws.

Edrychodd Moli, Poli a Mali ar eu ffrind yn syn.

'Wyt ti wedi bod yn bwyta gormod o losin eto, Siriol?' holodd Poli'n bryderus.

'Nac ydw, ond mae gen i newyddion cyffrous iawn. Dwi wedi bod yn ysu i ddweud wrthoch chi drwy'r wythnos ond, rhwng popeth, mae'r wythnos yma wedi hedfan a dyma fy nghyfle cyntaf i siarad gyda chi'n iawn. Mae heddiw am fod yn ddiwrnod bythgofiadwy!'

'Bydd, mi fydd e'n fythgofiadwy,

unwaith y byddwn ni wedi rhoi ein syrpreis ni i ti,' meddai Moli, gan wenu'n gyfrinachol a rhoi bocs-dal-teisen iddi.

'Teisen siocled, o Bynsen Bert – dyna FENDIGEDIG!' ebychodd Siriol.

'Agor y bocs, 'te,' meddai Poli, ar bigau'r drain. Gwthiodd y bocs at Siriol.

Daliodd Moli, Poli a Mali eu hanadl yn llawn cynnwrf wrth i Siriol godi'r caead yn araf i ddatgelu teisen siocled flasus. Haenau tenau o siocled llyfn, ar ben haen drwchus o hufen, a hwnnw'n llawn mefus bychain bach. Perffaith!

'Diolch yn fawr – dwi wrth fy modd! Nawr, mae'n rhaid i mi roi fy syrpreis *i* i chi!' meddai Siriol, wrth iddi dorri'r deisen i roi darn twt i bob un o'i ffrindiau.

Yna, gwelodd yr amlen binc o dan y deisen. 'Cerdyn hefyd! O, diolch!' meddai, gan gydio ynddo a dechrau

ei agor. 'Beth bynnag, dyma fy newyddion i! Wnewch chi byth gredu hyn ond, o'r diwedd, dwi'n mynd i gwrdd ag Es! Ydw wir! Mae hi wedi 'ngwahodd i aros gyda hi yn ystod hanner tymor.'

Roedd Siriol mor brysur yn torri'r deisen fel na sylwodd hi ar adenydd ei ffrindiau'n disgyn, a'u hwynebau bach yn llawn siom.

'Ac mae 'na hyd yn oed fwy o newyddion da . . .' meddai Siriol, gan oedi wrth dynnu'r cerdyn o'r amlen binc ac edrych arno. 'Mae'r llun yma'n edrych yn union fel golygfa o Fynydd y Petalau.'

'Golygfa o Fynydd y Petalau ydy hi!' meddai Poli'n dawel.

Ac wrth i Siriol agor y cerdyn i ddarllen beth oedd ynddo, disgynnodd tocyn pinc ar y bwrdd, fel pluen. Tocyn ar gyfer gwyliau yn ystod hanner tymor.

'Alla i ddim credu hyn!' meddai Siriol 'Beth . . . sut . . ?'

'Roedden ni'n meddwl y byddai'n braf i ni gael tipyn o hwyl gyda'n gilydd, a chael gwyliau yn rhywle neis, felly rydyn ni wedi trefnu taith i bawb i Fynydd y Petalau,' meddai Moli. 'Ond efallai ein bod ni wedi ei gadael yn rhy hwyr.'

'Ond dyna ro'n i am ei ddweud wrthoch chi heddiw!' meddai Siriol. 'Ro'n i'n sôn wrth Es amdanoch chi i gyd, ac fe sylweddolais y byddech chi'n dod ymlaen yn dda gyda

ffrindiau Es! Mali, mae ganddi hi ffrind
o'r enw Jini sy'n dwlu ar flodau a
byddai'n dwlu arnat tithau, hefyd. Poli,
mae Marged, ffrind Es, eisiau bod yn
un o dylwyth teg y dannedd, fel ti – a
Moli, mae Heulwen yn hoffi'r ffasiynau
diweddaraf, fel ti!'

Cymerodd Siriol seibiant i anadlu,
gan wenu ar wynebau syn ei ffrindiau.

'Felly, fe benderfynon ni drefnu
syrpreis i chi, trwy drefnu gwyliau i
ymweld â ffrindiau Es. Dyna pam
'mod i wedi bod yn brysur dros yr
wythnosau diwethaf – dwi wedi bod
yn trefnu gwyliau i chi.'

'Ond Siriol, sut gallwn ni ymweld â
ffrindiau Es os byddwn ni ar wyliau ym
Mynydd y Petalau?' holodd Mali, mewn
penbleth.

'Dyna'r peth gorau am hyn i gyd –
ym Mynydd y Petalau maen nhw i gyd
yn byw!' atebodd Siriol, gan ddechrau
neidio i fyny ac i lawr yn gyffrous wrth
i'w ffrindiau sylweddoli beth oedd ar

fin digwydd. 'Ro'n i'n meddwl 'mod i wedi dweud wrthoch chi ble mae Es yn byw, ond mae'n rhaid 'mod i wedi anghofio!'

'Felly gallwn ni fynd i Fynydd y Petalau o hyd, 'te?' gofynnodd Mali, wrth iddi hithau hefyd ddechrau neidio i fyny ac i lawr.

'Ac fe fyddwn ni'n cwrdd ag Es a'i ffrindiau yno?' gofynnodd Moli, gan neidio'n uwch ac yn uwch.

'Byddwn! A meddyliwch am y ffrindiau newydd y byddwn ni'n eu gwneud!' meddai Siriol yn gyffrous.

'Gwell inni ddechrau cynllunio, felly,' awgrymodd Poli, gan dynnu Llawlyfr Teithio Mynydd y Petalau o'i bag. 'Cymaint i'w weld a'i wneud – a dim ond wythnos sydd ganddon ni i baratoi!'

Moddion Melys

Roedd Siriol Swyn ar fin mynd ar wyliau gyda'i ffrindiau i ymweld ag Esyllt, ei ffrind drwy'r post, a'i ffrindiau gorau ym Mynydd y Petalau. O fore gwyn tan nos, doedd y tylwyth teg ddim yn meddwl nac yn siarad am unrhyw beth ond eu gwyliau.

Mewn gwers hanes ddwbl, roedd Siriol yn cael trafferth canolbwyntio ar ei gwerslyfr – Byd y Tylwyth Teg, Rhan Pedwar. Yn hytrach na gwrando ar bwy wnaeth beth a phryd, roedd

Siriol wrthi'n ysgrifennu rhestr i esbonio pam ei bod hi'n dylwythen deg lwcus dros ben!

FY RHESTR LWCUS
gan Siriol Swyn

1. Dwi'n mynd ar fy ngwyliau.
2. Dwi'n mynd i le arbennig dwi wedi breuddwydio amdano ers hydoedd.

3. Bydda i'n cwrdd â'm ffrind drwy'r post am y tro cyntaf erioed.
4. Mae fy ffrindiau gorau yn dod hefyd.
5. Bydd fy ffrind drwy'r post yn cael cwrdd â . . .

'SIRIOL!' gwaeddodd Miss Ffosil ym mlaen y dosbarth. 'CANOLBWYNTIA!'

'Mae'n ddrwg gen i, Miss Ffosil,' atebodd Siriol yn swil, gan guddio'i rhestr o dan y ddesg.

Allai hi ddim aros tan ddiwedd y wers, a diwedd y dydd. Bob bore cyn gwisgo, roedd Siriol wedi bod yn croesi'r dyddiau i ffwrdd ar ei chalendr, ac yn y dosbarth bu'n croesi'r munudau hyd yn oed.

'Dwi'n teimlo'n ofnadwy, yn dymuno i'r dyddiau fynd heibio'n gyflym,' meddai Siriol wrth Poli pan oedden nhw ar eu ffordd i Gaffi Seren. 'Ond alla i ddim aros. Saith niwrnod, un deg saith awr a . . .' edrychodd ar ei wats, 'thri deg a dau o funudau!'

'O Siriol!' meddai Poli gan chwerthin. 'Fe ddaw'r diwrnod yn ddigon buan.'

* * *

Roedd Siriol a Poli wedi trefnu i gwrdd â Mali a Moli yng Nghaffi Seren i wneud trefniadau-munud-olaf eu gwyliau. Roedd cymaint i'w wneud o hyd, ac amser yn mynd yn brin.

'Iawn, 'te,' meddai Poli, wrth geisio cael trefn ar bawb. Estynnodd ei rhestr wirio.

'O, cyn i ni ddechrau,' torrodd Siriol ar ei thraws, 'mae gen i rywbeth i bob un ohonoch chi!'

Ac o'i bag, estynnodd Siriol amlen felen fawr gan godi cwmwl o lwch disglair. Roedd Moli, Poli a Mali wedi gweld yr amlenni hyn o'r blaen.

'Llythyr gan Es i ti yw hwn, ie?' holodd Poli.

'Nid llythyr i mi,' meddai Siriol, 'ond llythyr i *chi*!'

Roedd golwg ddryslyd ar wynebau Moli, Poli a Mali.

'Agorwch e!' mynnodd Siriol yn llawn cyffro wrth ei roi iddyn nhw.

Agorodd Moli'r amlen yn frysiog tra oedd y lleill yn edrych dros ei hysgwydd i'w ddarllen.

'Map yw e! Ac mae 'na nodyn hefyd,' meddai Moli'n chwilfrydig.

Annwyl Moli, Poli a Mali,

Mae Siriol wedi dweud llawer o bethau amdanoch chi. Ac rwy'n siŵr ei bod wedi dweud popeth wrthoch chi am fy ffrindiau gorau i – Marged, Heulwen a Jini. Rydyn ni'n edrych ymlaen yn fawr at gael cwrdd â chi, ac rwy'n gwybod y bydd yr wyth ohonon ni'n cael llawer o sbort gyda'n gilydd!
Rwy' wedi tynnu llun map o Fynydd y Petalau, ac wedi nodi'r holl bethau cyffrous sydd i'w gwneud a'u gweld. Fydd dim digon o amser i wneud popeth, felly rhowch wybod pa rai sy'n apelio fwyaf atoch chi, ac fe wnaf i archebu tocynnau.

Dymuniadau disglair, Es XXX

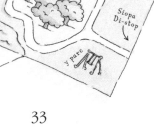

'Dyna hyfryd,' meddai Poli'n gyffrous. 'Ac mae ei ffrindiau i gyd yn swnio'n annwyl iawn.'

'Ac mae hi wedi rhoi cusan i bob un ohonon ni,' meddai Mali, gan graffu'n fanwl ar y llythyr, 'sy'n dangos ei bod hi'n berson arbennig iawn.' Agorodd Moli'r map, a'i daenu dros y bwrdd.

'Waw!' meddai'r tylwyth teg, fel côr. 'Mae cymaint o bethau i'w gwneud!'

'Rwy'n credu y gwna i gadw fy rhestr wirio tan fory!' meddai Poli. Roedd hi'n fwy awyddus i edrych ar y map.

* * *

Erbyn iddyn nhw fynd o Gaffi Seren, roedd y tylwyth teg wedi cynllunio amserlen y gwyliau. Roedd yn llawn hwyl a sbri, â rhywbeth gwahanol i'w wneud bob dydd.

Roedd Siriol am dreulio diwrnod ym Mae'r Cefnfor, i ymlacio ar y traeth yn heulwen braf yr haf. Roedd Moli wedi cynllunio diwrnod o siopa yn Siopa Di-stop, y ganolfan siopa newydd.

Roedd Mali'n awyddus i ymweld â Phrosiect y Petalau, i weld y blodau newydd oedd wedi'u creu gan dylwyth teg. Mynnodd Poli eu bod yn ymweld â'r amgueddfa leol, fel bod pawb yn dysgu rhywbeth ar eu taith.

'Y trip yma fydd yr un gorau erioed,' gwaeddodd Siriol, wrth ffarwelio â'u ffrindiau y tu allan i'r caffi.

'Ie wir, y gwyliau gorau erioed,' cytunodd Mali'n frwd.

* * *

Pan gyrhaeddodd Siriol adref, dechreuodd gyfri'r dyddiau tan y gwyliau, a gwnaeth ddiod mefus iachus iddi ei hun.

Cydiodd mewn copi o'r Adenydd Dyddiol, a throi'r

tudalennau tan iddi gyrraedd adran y tywydd.

'Hwrê!' bloeddiodd yn uchel pan welodd eu bod yn addo tywydd braf a heulog ym Mynydd y Petalau. 'O'r diwedd, galla i wisgo fy ngwisg nofio binc newydd!' meddyliodd.

Ond yna, sylwodd Siriol ar rywbeth arall a wnaeth iddi wgu. Roedd hi hefyd yn dymor glawog ym Mynydd y Petalau, ac roedd posibilrwydd o stormydd mellt a tharanau bob dydd.

'O na!' ebychodd Siriol. 'Beth ddyweda i wrth y lleill?'

Ar ôl pendroni'n hir, penderfynodd Siriol beidio â sôn gair wrth y lleill am ran olaf rhagolygon y tywydd. Efallai na fyddai hi'n bwrw, a doedd hi ddim eisiau difetha'u cynlluniau.

＊　＊　＊

Buan iawn roedd hi'n benwythnos, a daeth y tylwyth teg at ei gilydd ar gornel y Stryd Fawr i brynu'r holl

bethau hyfryd roedd arnynt eu hangen
ar gyfer eu gwyliau.

'Mae llawer o bethau i'w gwneud
a'u prynu heddiw, a dim ond un
pnawn i wneud popeth, felly mae gen
i amserlen ar gyfer y dydd,' meddai
Poli, gan dynnu rhestr o'i bag.

'O na, dim rhestr arall!' ebychodd
Moli.

Gwnaeth Siriol a Mali eu gorau glas
i beidio â chwerthin. Byddai Poli bob
amser yn gwneud rhestr ar gyfer
popeth.

'Os na wnawn ni ddilyn fy rhestr
heddiw, efallai yr awn ni ar ein

gwyliau heb bethau angenrheidiol – dychmyga beth fyddai'n digwydd taset ti'n anghofio dy hoff golur, Moli!'

'Hmm, rwy'n gweld beth rwyt ti'n ei feddwl,' meddai Moli. 'Ble'r awn ni gyntaf, 'te?'

Ac ar hynny, aeth y tylwyth teg yn syth i Salon Bodlon, i gael triniaethau harddwch cyn eu gwyliau. Cafodd Moli hufen hyfryd ar ei chroen a chafodd Siriol dylino'i hadenydd. Roedd angen trin dwylo Mali, a rhoddodd Poli ei thraed i orffwys mewn twba o ddŵr twym braf.

Roedden nhw wedi clywed bod tylwyth teg Mynydd y Petalau'n brydferth iawn, felly roedd pawb yn benderfynol o edrych ar ei gorau ar gyfer y daith.

* * *

Gydag adenydd ystwyth, wynebau disglair, dwylo meddal a thraed bach twt, hedfanodd y tylwyth teg i'r lle nesaf ar restr Poli – Marchnad y Tylwyth Teg.

Gan nad oedd y tylwyth teg wedi teithio'n bell o'r blaen, penderfynon nhw brynu digon o'u hoff ddanteithion cyn mynd ar eu gwyliau.

Erbyn i'r tylwyth teg gamu allan o'r siop, roedd eu bagiau'n llawn Siocled Gwreichion, Afalau Taffi, Careiau Mafon a Chreision Caws.

'O leia wnawn ni ddim llwgu os na fyddwn ni'n hoffi'r bwyd ym Mynydd y Petalau!' chwarddodd Mali gan edrych ar eu bagiau gorlawn.

'Ble nesaf?' holodd Siriol.

'Y lle pwysicaf oll – Siop Steil. Maen nhw newydd gael stoc o'r dillad haf diweddaraf!' meddai Poli, yn teimlo'n hynod gyffrous.

* * *

Ebychodd y tylwyth teg wrth fynd i mewn i Siop Steil – roedd yno resi di-ben-draw o dopiau coch, sgertiau melyn, cardiganau pinc, ffrogiau gwyrdd, cotiau oren, adenydd porffor a choronau glas – roedd y cyfan fel enfys!

'O, dwi yn y nefoedd!' ebychodd Moli, wrth dyrchu drwy resi o ddillad.

'Cofiwch, bawb, does dim llawer o le yn eich cesys,' meddai Poli'n synhwyrol wrth y lleill.

Anwybyddodd Siriol, Moli a Mali gyngor Poli, gan anelu'n syth at yr ystafelloedd newid â llond eu breichiau o ddillad.

Wrth i'r tylwyth teg adael y siop gyda phentyrrau o ddillad hafaidd, sylwodd Siriol ar reilen o gotiau glaw yng nghornel yr ystafell. Am eiliad fach, meddyliodd Siriol efallai y dylai gael cot law, ond yna penderfynodd obeithio am y gorau. Efallai na fyddai hi'n bwrw glaw, wedi'r cyfan.

* * *

Cyn gynted ag y cyrhaeddodd Siriol adref dechreuodd bacio ond, yn anffodus, doedd hynny ddim mor rhwydd â'r disgwyl. Roedd Siriol yn siŵr nad oedd hi wedi prynu llawer o bethau, ond roedd hi'n methu'n lân â chau'r cês.

'O, trueni na allwn i ddefnyddio ychydig o hud y tylwyth teg i gau'r cês 'ma,' ebychodd Siriol, gan wybod na fyddai hi fyth yn meiddio gwneud dymuniad er ei lles hi ei hun. Roedd hynny yn erbyn cyfraith y tylwyth teg.

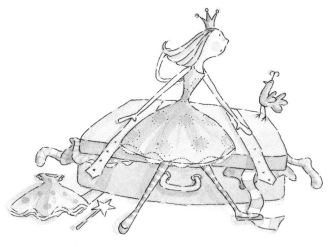

Ar ôl noson o ymdrechu'n galed i bacio'i chês, penderfynodd Siriol ffonio Poli i ofyn am ei help. Roedd Poli bob amser yn gwybod beth i'w wneud mewn sefyllfaoedd anodd.

'Siriol!' ebychodd Poli wrth ei gwylio'n eistedd ar ei chês, yn gwthio a thuchan wrth geisio'i gau. 'Beth sydd gen ti mewn yn fan'na?'

'Dim ond ychydig o bethau angenrheidiol,' meddai Siriol, gan ddweud celwydd bach golau.

Agorodd Poli gês Siriol, a neidio'n ôl yn gyflym i osgoi'r pentyrrau o losin a siocled a saethodd allan ohono.

'Ond Siriol, does bron dim dillad gen ti!' meddai, gan dyrchu drwy'r cês. 'Losin yw'r cyfan! Bydd yn rhaid iti adael rhai ohonyn nhw ar ôl.'

Cytunodd Siriol yn anfoddog, a phenderfynodd y ddwy gyda'i gilydd pa losin i'w gadael ar ôl. Ar ôl ailbacio'r cês, fe lwyddwyd i'w gau y tro hwn – ond dim ond wrth i Siriol a Mali eistedd ar ei ben!

* * *

O'r diwedd, roedd Siriol yn barod ar gyfer ei gwyliau. Ond wrth gael cip ar y calendr ar y ffordd i'r gwely'r noson honno, sylweddolodd fod ganddi un peth arall i'w wneud cyn y gallai fynd ar ei gwyliau. Mewn llythrennau mawr pinc roedd y geiriau 'Dr Daioni, 4.20 o'r gloch'.

Roedd Mynydd y Petalau ymhell bell i ffwrdd o Fyd y Tylwyth Teg, ac roedd popeth yn wahanol yno – y dŵr, yr awyr, y bwyd – ac roedd geiriau rhyfedd yn yr iaith, hyd yn oed. I'w cadw nhw rhag dal unrhyw glefydau gwahanol, roedd yn rhaid i'r tylwyth teg gael tri math o foddion cyn mynd.

Roedd Siriol wedi mwynhau'r siwgr lwmp a gafodd ar ei hymweliad cyntaf dair wythnos ynghynt.

Ond roedd y llwyaid o foddion a gafodd gan Dr Daioni ar ei hail ymweliad yn llawer llai blasus. Yn wir, roedd e'n ofnadwy, a nawr roedd hi'n poeni beth i'w ddisgwyl ar ei thrydydd ymweliad, sef ei hymweliad olaf.

'Beth os mai pigiad fydd e?'

sibrydodd Siriol wrth Poli yn y gwasanaeth.

'Na! Neu'n waeth na hynny, beth os mai pigiad yn dy ben-ôl fydd e!' chwarddodd Moli.

'Wel, o leia rydyn ni i gyd yn mynd gyda'n gilydd,' meddai Mali. 'Gallwn ni ddal dwylo'n gilydd a dweud straeon doniol wrth ein gilydd i beidio gorfod meddwl am y peth.'

* * *

Am y tro cyntaf ers wythnosau, roedd Siriol yn ysu am i'r wers beidio â gorffen. Roedd hi'n teimlo'n fwy nerfus bob munud ynglŷn â'i hapwyntiad gyda Dr Daioni.

'Dwi'n teimlo'n nerfus iawn,'
meddai Siriol yn bryderus wrth Mali.

'Paid â phoeni, bydd popeth yn
iawn, dwi'n siŵr,' meddai Mali, gan
geisio cysuro'i hunan hefyd.

'Os oes gennych chi'ch dwy
rywbeth i'w ddweud, efallai yr hoffech
chi ei rannu gyda gweddill y dosbarth
hefyd,' meddai Miss Taith.

Ysgydwodd Moli a Siriol eu pennau.

'Iawn. Nawr, a wnaiff pawb droi i
dudalen pum deg saith, os gwelwch
yn dda. Fe ddechreuwn ni ddarllen yr
adran dan y teitl "Mynyddoedd".'

Roedd Siriol yn gwneud ei gorau i
ganolbwyntio'n well yn y dosbarth.
Roedd hi'n ysu am gyfle i ddysgu
mwy am wlad ei ffrind post, lle
byddai hi a'i ffrindiau'n mynd ar ei
gwyliau cyn hir. Ond roedd ei meddwl
yn dal i grwydro, a lluniau brawychus
o feddygfa Dr Daioni'n llenwi ei
dychymyg.

Ymhen dim, roedd y wers ar ben.

Paciodd Siriol, Moli, Poli a Mali eu llyfrau'n anfoddog, ac ymlwybrodd y pedair yn araf i weld Dr Daioni ym meddygfa'r ysgol.

'Fe wnaiff Dr Daioni eich gweld chi nawr,' meddai'r ysgrifenyddes, gan sbecian dros ei sbectol.

Dechreuodd adenydd Siriol grynu, ac wrth iddi godi ar ei thraed, teimlodd ei choesau'n crynu hefyd. Ceisiodd gadw'i meddwl ar y gwyliau.

'Gaiff fy ffrindiau ddod i gadw cwmni i mi?' holodd.

'Popeth yn iawn,' meddai'r ysgrifenyddes, gan wenu'n gyfeillgar ar Siriol a'i ffrindiau, a oedd yn dal dwylo'i gilydd.

Edrychodd Dr Daioni dros ei sbectol wrth i'r pedair tylwythen deg gerdded i mewn.

'Eisteddwch, os gwelwch yn dda,' meddai, gan bwyntio at y cadeiriau wrth ei hochr. 'Nawr, pa un ohonoch chi yw Siriol Swyn?'

'Fi,' meddai Siriol mewn llais bach. 'A dyma fy ffrindiau, Moli, Poli a Mali.'

'Helô!' meddai'r tylwyth teg, fel côr bach tawel. Roedden nhw hefyd yn teimlo'n nerfus erbyn hyn.

'Aha, dwi'n siŵr 'mod i wedi clywed eich enwau o'r blaen . . . nawr, fuodd rhai ohonoch chi dylwyth teg yn gwneud rhywbeth gyda phapur newydd yr ysgol y llynedd?'

'Do,' meddai Siriol, a dechreuodd ddweud wrth Dr Daioni am yr holl storïau cyffrous roedd hi a'i ffrindiau wedi tynnu sylw atyn nhw.

Roedd hi mor brysur yn siarad fel na sylwodd ar Dr Daioni'n arllwys union 30mg o Lwch Amddiffyn Hudol dros ei phen.

Roedd Siriol wedi colli'i hanadl yn llwyr erbyn iddi orffen adrodd hanes yr holl anturiaethau wrth y doctor.

'Mae'n swnio'n wych,' meddai Dr Daioni. 'Reit, pwy sy nesa?'

Syllodd Siriol ar y doctor, gan deimlo braidd yn ddryslyd. 'Ond dydych chi ddim am roi pigiad i mi?' gofynnodd yn betrusgar.

'Nac ydw, dy driniaeth olaf oedd y Llwch Amddiffyn Hudol,' chwarddodd Dr Daioni. 'A dwi newydd ei roi i ti!'

'Roeddet ti mor brysur yn siarad fel na wnest ti sylwi ar Dr Daioni,' chwarddodd Mali.

Ochneidiodd Siriol yn falch, cyn dechrau chwerthin dros bob man!

* * *

Ar ddiwedd y diwrnod hir, ffarweliodd Siriol â'i ffrindiau; aeth yn syth adref ac i fyny'r grisiau i'w gwely cynnes, clyd.

'Dyna ddwl o'n i, yn poeni cymaint

am apwyntiad y doctor!' meddai, gan chwerthin wrthi'i hun o dan ei chwilt cysurus. 'Ond diolch i'r drefn 'mod i wedi'i wneud e – dwi'n hollol barod nawr ar gyfer fy ngwyliau!'

Rhestr Wirio'r Gwyliau

Camera ✓
Teithlyfr ✓
Tocynnau ✓
Brwsh Dannedd ✓
Bicini ✓
3 x Adenydd:
  adenydd smart,
  adenydd bob-dydd,
  adenydd dŵr ✓
Esgidiau ✓
Bagiau ✓
Ffrogiau ✓
Dillad isaf ✓
Colur ✓
Eli haul ✓

Gwyliau Gwych

Roedd Siriol Swyn a'i ffrindiau, Moli,
Poli a Mali, yn teithio mewn awyren
i'w gwyliau delfrydol. Gan eu bod
nhw'n hedfan yn uwch nag erioed
o'r blaen, roedd yr olygfa'n anhygoel
– cymylau gwyn, glân fel blanced o
eira o amgylch yr awyren, ac enfys
lachar o liwiau pinc pert a lelog
godidog ar draws yr awyr.

Doedd yr un o'r tylwyth teg erioed
wedi bod mewn awyren o'r blaen, a
byddai eu taith o Faes Awyr
Rhyngwladol Ffridd-las i Fynydd

y Petalau'n cymryd amser hir – un
deg saith awr. Sgwrsiodd y tylwyth
teg yn llawn bwrlwm am eu gwyliau
tan ganol nos, ond yn y diwedd,
penderfynodd Poli, yn synhwyrol
iawn, bod angen iddyn nhw gael
rhywfaint o gwsg. Ar ôl i'r ffrindiau
ymolchi, glanhau eu dannedd a
gwisgo dillad cyfforddus, diffoddodd
y stiward y golau. Ar ôl holl gyffro'r
dydd roedd y tylwyth teg wedi
ymlâdd, felly syrthiodd pawb i
gysgu'n drwm ymhen dim o dro.

* * *

'Edrychwch, dacw hi!' meddai Siriol,
gan ollwng ei bag a rhedeg tuag at
dylwythen fach oedd yn aros ger
y fynedfa i Fynydd y Petalau.

'Es!' bloeddiodd Siriol, a rhoi cwtsh
iddi. 'Rwyt ti'n edrych yn union fel y
llun ohonot ti! Ro'n i'n poeni na
fyddwn i'n dy adnabod di!'

Roedd Es wrth ei bodd o weld
Siriol hefyd. 'Dwi mor falch dy fod ti

wedi dod, a bod dy ffrindiau hyfryd yma hefyd,' meddai.

'Dere i gwrdd â nhw!' meddai Siriol yn frwd, gan gydio yn llaw Es a hedfan draw at Moli, Poli a Mali, oedd yn eistedd yn flinedig ar ben eu cesys.

Roedd Es yn gwybod y byddai Siriol a'i ffrindiau wedi blino ar ôl eu taith hir, felly roedd hi wedi trefnu bws i fynd â nhw i'r gwesty. Parablodd y tylwyth teg yn ddi-baid yr holl ffordd yno.

'Edrychwch ar y golygfeydd bendigedig 'ma!' meddai Mali, gan agor y drysau allan i'r balconi, wedi iddyn nhw fynd â'u pethau i'w hystafell. 'Dyw fan hyn ddim yn debyg o gwbl i gartref – mae blodau ym mhobman! Alla i ddim aros i gael archwilio Mynydd y Petalau'n iawn.'

'A'r ffasiwn!' meddai Moli, gan chwerthin wrth bwyso ar y rheilen, ac edmygu tylwythen deg â thair set o adenydd.

'Dychmygwch petaen ni'n gwisgo'r rheina yn Nhre'r Blodau!'

'Mmm, ac edrychwch ar y bwyd!' meddai Poli, wrth godi ac arogli ffrwyth porffor pigog o'r bowlen ar y bwrdd. 'Mae'n arogli fel cymysgedd hyfryd o fefus a melon!'

'A pheidiwch ag anghofio'r ffrindiau!' meddai Siriol. 'Bydd gan bawb ffrindiau cwbl anhygoel erbyn diwedd y gwyliau. Mae Es wedi ein gwahodd ni i gyd i'w thŷ hi i gael te, er mwyn inni gwrdd â phawb a thrafod popeth rydyn ni eisiau ei wneud. O! mae popeth mor gyffrous!'

* * *

Roedd tŷ Es yn gwbl wahanol i unrhyw dŷ roedd y tylwyth teg wedi'i weld o'r blaen. Safai mewn dyffryn wrth droed Mynydd y Petalau, ond roedd fel petai'n hofran uwchben y ddaear.

'Ydy e'n sefyll ar stiltiau?' meddai Moli, gan graffu arno wrth gerdded i fyny'r llwybr.

'Nac ydy, dydw i ddim yn credu,' meddai Poli'n geg-agored. 'Dwi'n credu ei fod e'n hofran!'

'Sut gallwn ni ganu'r gloch?' holodd Siriol, gan edrych i fyny ar y drws ffrynt o'r ddaear.

'Hedfan!' meddai Poli, gan chwerthin ac ysgwyd ei hadenydd. 'Weithiau, yn Nhre'r Blodau, mae'n hawdd anghofio mai tylwyth teg ydyn ni, ond yn fan hyn mae'n rhaid inni ddefnyddio'n doniau arbennig.'

'Rwyt ti'n iawn,' meddai Siriol. 'Mae rhywbeth arbennig iawn am y lle yma, yn sicr.'

Wrth iddi dynnu ar y gadwyn euraidd fawr ar y gloch, daeth cwmwl disglair i lawr i godi'r pedair tylwythen, a'u cludo i gyntedd tŷ Es.

'Helô!' meddai Es, gan hedfan tuag atynt.

'Does dim llawr yma!' meddai Siriol, mewn panig.

'Does dim lloriau gan lawer o'r tai

yn fan hyn. Mae 'na loriau mewn gwestai achos bod twristiaid wedi arfer â nhw, ond mae'n well ganddon ni ddefnyddio'n hadenydd yn lle cerdded.'

'Beth fyddwch chi'n wneud pan fydd eich adenydd chi wedi blino?' meddai Poli – roedd hi'n dechrau teimlo'r straen yn barod.

'O, mae 'na ddigon o gadeiriau a gwelyau a phethau fel 'na!' meddai Es, gan chwerthin. 'Dydyn ni ddim mor wahanol â hynny! Dewch i mewn i'r lolfa, i gwrdd â'r lleill.'

* * *

Roedd y cyfan yn rhyfedd iawn i Siriol, Moli, Poli a Mali. Roedd y dodrefn i gyd yn edrych yn ddigon cyffredin, ond yn hytrach na'u bod wedi'u gosod ar y llawr, roeddent yn crogi o'r nenfwd, ag edau euraidd, denau'n eu dal.

'Dyma fy ffrindiau – Jini, Marged a Heulwen,' meddai Es, gan gyflwyno'r tylwyth teg eraill yn yr ystafell.

Rhedodd Siriol at ffrindiau Es, a rhoi cwtsh anferthol i bob un ohonyn nhw. Roedd golwg braidd yn syn ar ffrindiau Es i ddechrau, ond yna sylweddolon nhw mai dim ond bod yn gyfeillgar roedd Siriol.

Yna, cyflwynodd Moli, Poli a Mali eu hunain i ffrindiau Es.

'Eisteddwch, dewch i gael sgwrs, ac fe af i nôl diod i bob un ohonoch chi,' cynigiodd Es, gan hofran allan o'r ystafell.

* * *

Roedd y tylwyth teg braidd yn swil i ddechrau, a'u sgwrs yn eitha lletchwith, ond erbyn i Es ddod yn ôl roedd Moli a Heulwen wrthi'n sgwrsio am y ffasiynau diweddaraf. Roedd Mali a Jini'n astudio'r rhifyn diweddaraf o Gerddi Hud, a Poli a Marged yn trafod y dulliau gorau o astudio. Gwenodd Siriol o glust i glust pan ddaeth Es i mewn – roedd yn braf gweld eu ffrindiau'n dod ymlaen mor dda.

'Dwi wedi gwneud coctel ffrwythau
arbennig i bawb – 'Coctel y Cyfeillion',
meddai Es, gan roi gwydrau tal i bawb,
yn llawn sudd ffrwythau trofannol.

'Hoffwn i gynnig llwncdestun,'
meddai Siriol, gan wrido ychydig bach
wrth i bawb edrych arni. 'I wyliau
hapus!' A chododd pawb eu gwydrau a
gweiddi hwrê.

* * *

Erbyn i Siriol a'i ffrindiau adael tŷ Es, roedden nhw wedi cytuno ar amserlen y gwyliau. Roedd Es wedi trefnu tripiau i weld popeth roedden nhw'n dymuno'i weld. Ond diwrnod arbennig Mali fyddai hi fory, ac roedd Es wedi trefnu taith i gopa Mynydd y Petalau, i weld gwahanol flodau prin.

'Gobeithio na fydd raid inni hedfan yno. Mae f'adenydd i'n dal i frifo,' meddai Mali, gan eu tynnu i ffwrdd a'u gosod ar gefn ei chadair yn y gwesty.

'Mae fy rhai i mor flinedig, does gen i ddim nerth i'w tynnu i ffwrdd,' meddai Siriol, gan gyrlio o dan y cwilt, a'i hadenydd yn dal ar ei chefn!

'Dwi newydd sylweddoli . . . dydyn nhw ddim yn gwisgo tri phâr o adenydd er mwyn bod yn ffasiynol, ond achos eu bod nhw'n hedfan cymaint!' meddai Moli'n feddylgar, wrth i'r tylwyth teg ddechrau syrthio i gwsg trwm, esmwyth.

* * *

Pan gwrddodd yr holl dylwyth teg y bore wedyn, roedd Siriol a'i ffrindiau'n dal i gael trafferth addasu i'r holl bethau gwahanol o'u cwmpas.

'Gawson ni deisen siocled i frecwast!' meddai Poli wrth Marged yn syn. 'Ydy hynny'n beth cyffredin yma?'

'Nac ydy, ond mae pethau'n gallu bod yn wahanol mewn gwesty,' meddai Marged.

Roedd Poli'n falch o glywed hynny. Roedd hi'n gobeithio bod yn un o dylwyth teg y dannedd ryw ddydd, ac yn credu mai pethau i'w bwyta'n achlysurol oedd teisennau. Doedden nhw'n bendant ddim yn fwyd call i'w gael i frecwast!

'Gartref, fel arfer, byddwn ni'n cael Teisen Siwgr a Chwrens Cwmwl i frecwast,' meddai Marged yn ddidaro.

Llyncodd Poli ei phoer.

'Pawb yn barod?' holodd Es yn awdurdodol, gan gydio ym mraich Siriol.

Edrychodd Moli dros ei hysgwydd i wneud yn siŵr bod ei phâr newydd o adenydd triphlyg yn ysgwyd yn iawn. Roedd Heulwen a hithau wedi galw yn y siopau ben bore i ddod o hyd i set newydd o adenydd triphlyg smart, i'w gwisgo gyda ffrog haf newydd Moli.

'Yn barod i fynd!' atebodd pawb yn frwd.

'Iawn,' aeth Es yn ei blaen, 'y peth pwysicaf i'w gofio yw bod yn rhaid i bawb aros gyda'i gilydd. Mae rhannau o'r llwybr wedi tyfu'n wyllt, sy'n golygu ei bod hi'n anodd gweld ble'n union i hedfan. Dilynwch fi!'

* * *

Hedfanodd y tylwyth teg mewn rhes daclus o dan y bwa arian hardd, ger y fynedfa i droed y mynydd. Ar ôl iddyn nhw ddangos eu tocynnau, cafodd y tylwyth teg fap yr un. Roedd yr olygfa o'r gwaelod yn anhygoel, a'r mynydd fel petai wedi'i wneud o

betalau amryliw bychain fel enfys, yn
disgleirio yn yr haul. Roedd arogl
ffres, hyfryd y blodau trofannol yn
llenwi'r aer, ac wrth i'r tylwyth teg
anadlu'n ddyfnach, dechreuon nhw
deimlo'n ysgafnach ac yn ysgafnach,
nes teimlo eu bod yn arnofio i
gopa'r mynydd.

CROESO I FYNYDD Y PETALAU

'O na, mae fy adain wedi cydio yn rhywbeth,' meddai Moli, gan deimlo plwc yn ei chefn. Wrth edrych yn ôl, gwelodd ddeunydd ei hadain yn dechrau datod.

'Paid â phoeni,' meddai Es, a oedd wedi dringo'r mynydd o'r blaen. 'Mae awyr ffres y mynydd yn dy godi i fyny, felly does dim rhaid iti ysgwyd dy adenydd rhyw lawer.'

Roedd Mali wrth ei bodd. Nid yn unig roedd hi wedi gweld blodau cwbl wahanol ac annisgwyl, ond roedd hi hefyd wedi dod o hyd i ffrind arbennig iawn, sef Jini. Hadau oedd arbenigedd Jini, ac ar ôl gadael yr ysgol roedd hi am fod yn Dylwythen Natur. Ei gwaith fyddai casglu, plannu a meithrin hadau er mwyn iddyn nhw dyfu'n blanhigion cryf.

Oherwydd eu bod mor awyddus i weld mwy a mwy o hyd, Mali a Jini oedd ar flaen y grŵp bellach.

'Edrycha draw fan'na!' ebychodd

Mali, gan roi ei llaw dros ei cheg yn syn. 'Beth yw hwnna?!' meddai, gan bwyntio at flodyn pinc hardd, a oedd yn llawer mwy na'r tylwyth teg.

Roedd Jini'n dawel am ychydig.

'Saffire Melys yw e,' meddai o'r diwedd. 'Maen nhw'n eitha prin yma. Dere i gael golwg arno fe.'

Roedd yn rhaid i'r tylwyth teg hedfan yn ofalus rhwng y dail mawr gwyrdd a'r coesynnau gludiog cyn cyrraedd y petalau sidanaidd anferthol oedd yn chwifio fel hwyliau mawr yn y gwynt.

Cyn hir, roedd y ffrindiau i gyd yn syllu ar y blodyn mewn rhyfeddod.

'Dydw i erioed wedi gweld unrhyw beth tebyg i hwn,' meddai Siriol. 'Mae cymaint o bethau yma sy'n gwbl ddieithr i ni. Mae'n anodd peidio â rhyfeddu at bopeth!'

* * *

Yn sydyn, clywson nhw sŵn murmur isel, dwfn uwch eu pennau. Rhewodd Siriol a'i ffrindiau yn yr awyr.

'Peidiwch â phoeni, dim ond storm o fellt a tharanau sy ar y ffordd,' meddai Es yn ddidaro.

'Storm o fellt a tharanau!' ebychodd Moli, Poli a Mali.

'Roeddech chi *yn* sylweddoli ei bod yn dymor glawog yma nawr, on'd oeddech?' holodd Es, wrth i'r glaw ddechrau pistyllio drwy'r cymylau, yn drymach bob eiliad.

'Wel, roedd gen i ryw syniad,' cyfaddefodd Siriol, 'ond ro'n i'n meddwl efallai na fyddai hi'n bwrw yr wythnos hon.'

'Siriol!' gwaeddodd Moli, Poli a Mali, wrth i'w hadenydd droi'n llipa yn y glaw trwm.

Agorodd Es a'i ffrindiau eu bagiau, i estyn eu cotiau glaw.

'Dydych chi ddim wedi dod â chotiau glaw gyda chi?' holodd Jini.

'Nac ydyn, mae'n ddrwg gen i,'
meddai Siriol, gan edrych i lawr ar y
llawr, rhag iddi orfod gweld wynebau
digalon ei ffrindiau.

'Wel, dyna lwcus ein bod ni wedi
dod â rhai sbâr, yntê?' chwarddodd
Heulwen, wrth estyn pedair cot
law arall.

'Hwrê!' meddai Siriol, Moli, Poli a
Mali, wrth wisgo'u cotiau a chario
'mlaen ar eu taith i gopa'r mynydd.

* * *

Roedd yr olygfa o'r copa'n syfrdanol!
Eisteddodd pawb yn dawel fach
i edmygu'r prydferthwch o'u blaenau.

'Bydd yn dechrau tywyllu cyn hir,' meddai Es o'r diwedd, ar ôl sylweddoli eu bod wedi bod yn eistedd yno ers dros awr. 'Well inni droi 'nôl.'

Yn sydyn, gwelwodd ei hwyneb.

'Oes unrhyw un yn cofio'r ffordd?' holodd, gan edrych o'i chwmpas yn bryderus.

'Ym, na,' meddai Siriol, gan droi rownd a rownd yn ei hunfan.

'Dydw i ddim eisiau codi ofn arnoch chi, ond dwi'n credu ein bod ni ar goll!'

'O, brensiach!' meddai Mali.

'Peidiwch â phoeni, dwi'n siŵr y byddwn ni'n iawn,' meddai Poli, gan estyn ei map. 'Dyw hi ddim yn dywyll eto, a gallwn ni weld ein ffordd o hyd.'

'Ddim yn dywyll eto?' meddai Moli'n bryderus, gan edrych ar yr awyr, a oedd yn tywyllu mwy bob munud. 'Beth wnawn ni? Dydw i ddim eisiau treulio gweddill fy ngwyliau ar ben mynydd.'

'Ddaw hi ddim i hynny,' meddai
Poli'n bendant. 'Edrychwch, dwi'n
credu ein bod ni tua . . . fan hyn . . .'

Edrychodd Es ar y map.

'Na, fe wnaethon ni basio fan'na sbel
yn ôl. Efallai ein bod ni tua fan hyn . . .'

'O, mae hyn yn drychinebus!'
wylodd Moli'n ddramatig.

Eisteddodd Moli'n swp bach digalon,
neu, yn hytrach, ceisiodd eistedd, ond
roedd ei hadain wedi cydio unwaith
eto ar goesyn blodyn.

'O, dim eto!' meddai, gan ddal ei
phen yn ei dwylo yn ddigalon.

Plygodd Siriol er mwyn rhoi cwtsh
i'w ffrind, ac wrth iddi wneud hynny,
aeth ei braich yn sownd mewn edau,
oherwydd bod adain Moli wedi
rhwygo. Yna, dechreuodd Siriol wenu
o glust i glust.

'Galli di ddangos y ffordd adref i ni,
Moli!' cyhoeddodd Siriol.

'Ha ha,' meddai Moli'n bwdlyd.

'Na, wir!' meddai Siriol. 'Edrycha!'

A dechreuodd yr holl dylwyth
teg weiddi hwrê, wrth weld bod
yr edau sidan o'r rhwyg yn adain
Moli yn dangos y llwybr yn ôl i lawr,
yr holl ffordd i'r fan lle cychwynnodd
eu taith.

* * *

Pan gyrhaeddodd y tylwyth
teg yn ôl i'w gwesty o'r diwedd,
aeth pawb i orwedd yn
flinedig ar eu gwelyau.

'Wel, dyna ddigon o gyffro am un diwrnod,' meddai Siriol.

'Dyna ddigon o gyffro am y gwyliau cyfan,' meddai Moli. 'Dwi'n credu y dylen ni dreulio gweddill ein hamser yn ddiogel, ar y traeth.'

'Syniad ardderchog!' meddai Siriol, Poli a Mali gyda'i gilydd.

* * *

Ar ôl chwe diwrnod hir ar y traeth, lle buon nhw'n chwarae dan yr haul crasboeth, yn nofio yn y môr oer, braf, ac yn bwyta llawer o fwyd trofannol blasus, roedd hi'n bryd i'r tylwyth teg ffarwelio â'u ffrindiau newydd.

Wrth iddyn nhw fynd at yr awyren, rhoddodd Moli gwtsh i Heulwen, a chofleidiodd Poli a Marged a Mali a Jini. Ac yna, rhoddodd Siriol gwtsh anferthol a dagreuol i Es.

'Bydda i'n dy golli di'n fawr iawn,' wylodd Siriol, 'ond mae ffrindiau gorau bob amser yn aros gyda'i gilydd, ac fe fyddwn ni'n ffrindiau am byth.'

'Bydda i'n dy golli di hefyd, Siriol,' meddai Es, a lwmp yn ei gwddf.

'Fe wnawn ni ysgrifennu at ein gilydd bob wythnos, a bydd raid i ti a dy ffrindiau ddod i aros gyda ni, y gwyliau nesaf,' ymbiliodd Siriol.

'Bydden ni'n dwlu dod, diolch yn fawr,' meddai Es, gan siarad ar ran pawb arall.

'Ac fe ddown ni i aros yma eto,' meddai Mali. 'Mae llawer o bethau ar ôl i'w gweld.'

'Os gwnei di addo na fyddwn ni'n mentro i ben mynydd arall, fe ddof innau hefyd!' meddai Moli, gan chwerthin.

Defnyddiwch yr hud a lledrith
yn eich calonnau
i ddod o hyd i'r ffordd ymlaen

EmmaThomson · Gomer

Siriol Swyn

Ffrindiau am Byth

a storïau eraill

EmmaThomson · Gomer

Siriol Swyn

Hwyl Hud

a storïau eraill

EmmaThomson · Gomer

Siriol Swyn

Cyfrinachau Cyfareddol

a storïau eraill

Emma Thomson
Siriol Swyn
Cwsg Cythryblus
a storïau eraill

Emma Thomson
Siriol Swyn
Merlod Medrus
a storïau eraill

Emma Thomson
Siriol Swyn
Ffwdan Ffasiwn
a storïau eraill

Branch	Date
TUH	05/10